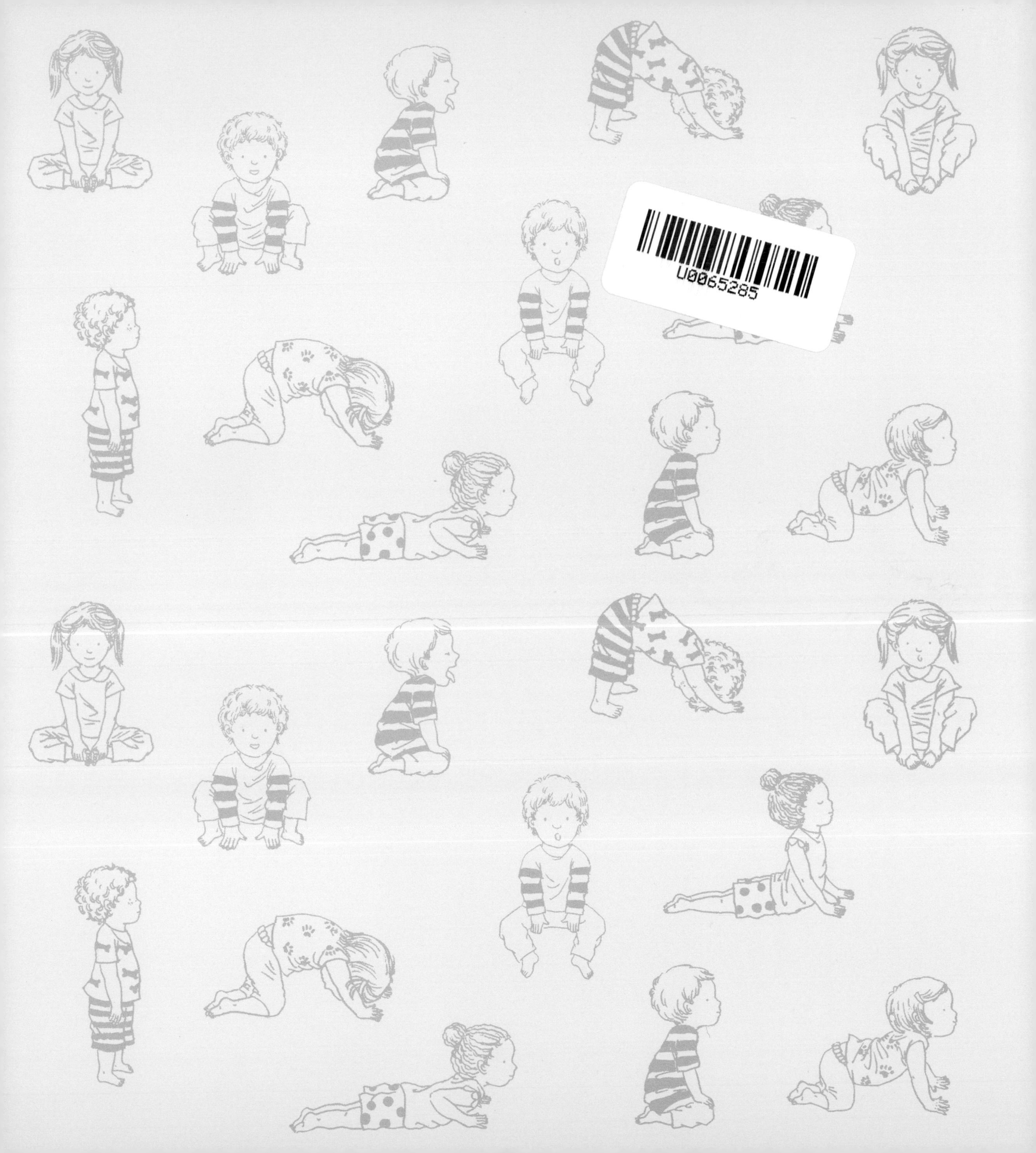

給荷莉和艾蜜麗：
萬分感謝

繪本 0099

你是一隻獅子！

作、繪者｜俞泰恩　譯者｜許嘉諾
責任編輯｜許嘉諾
特約美術編輯｜蕭雅慧

天下雜誌群創辦人｜殷允芃　董事長兼執行長｜何琦瑜
兒童產品事業群
副總經理｜林彥傑　總編輯｜林欣靜　主編｜陳毓書　版權專員｜何晨瑋、黃微真

出版者｜親子天下股份有限公司　地址｜台北市 104 建國北路一段 96 號 4 樓
電話｜（02）2509-2800　傳真｜（02）2509-2462　網址｜ www.parenting.com.tw
讀者服務專線｜（02）2662-0332　週一～週五：09:00~17:30
讀者服務傳真｜（02）2662-6048　客服信箱｜ bill@cw.com.tw

法律顧問｜台英國際商務法律事務所・羅明通律師
製版印刷｜中原造像股份有限公司
總經銷｜大和圖書有限公司　電話（02）8990-2588

出版日期｜ 2012 年 12 月第一版第一次印行
2022 年 5 月第一版第十四次印行
定價｜ 260 元　書號｜ BCKP0099P　ISBN ｜ 978-986-241-624-2（精裝）

你是一隻獅子！

跟著動物們一起做運動

文·圖 俞泰恩　　譯 許嘉諾

當金黃色的太陽升起，
溫暖的陽光灑滿花園，
小朋友們聚在一起，
向世界說聲：早安！

坐ㄗㄨㄛˋ下ㄒㄧㄚˋ，
坐ㄗㄨㄛˋ在ㄗㄞˋ你ㄋㄧˇ的ㄉㄜ˙腳ㄐㄧㄠˇ後ㄏㄡˋ跟ㄍㄣ上ㄕㄤˋ。

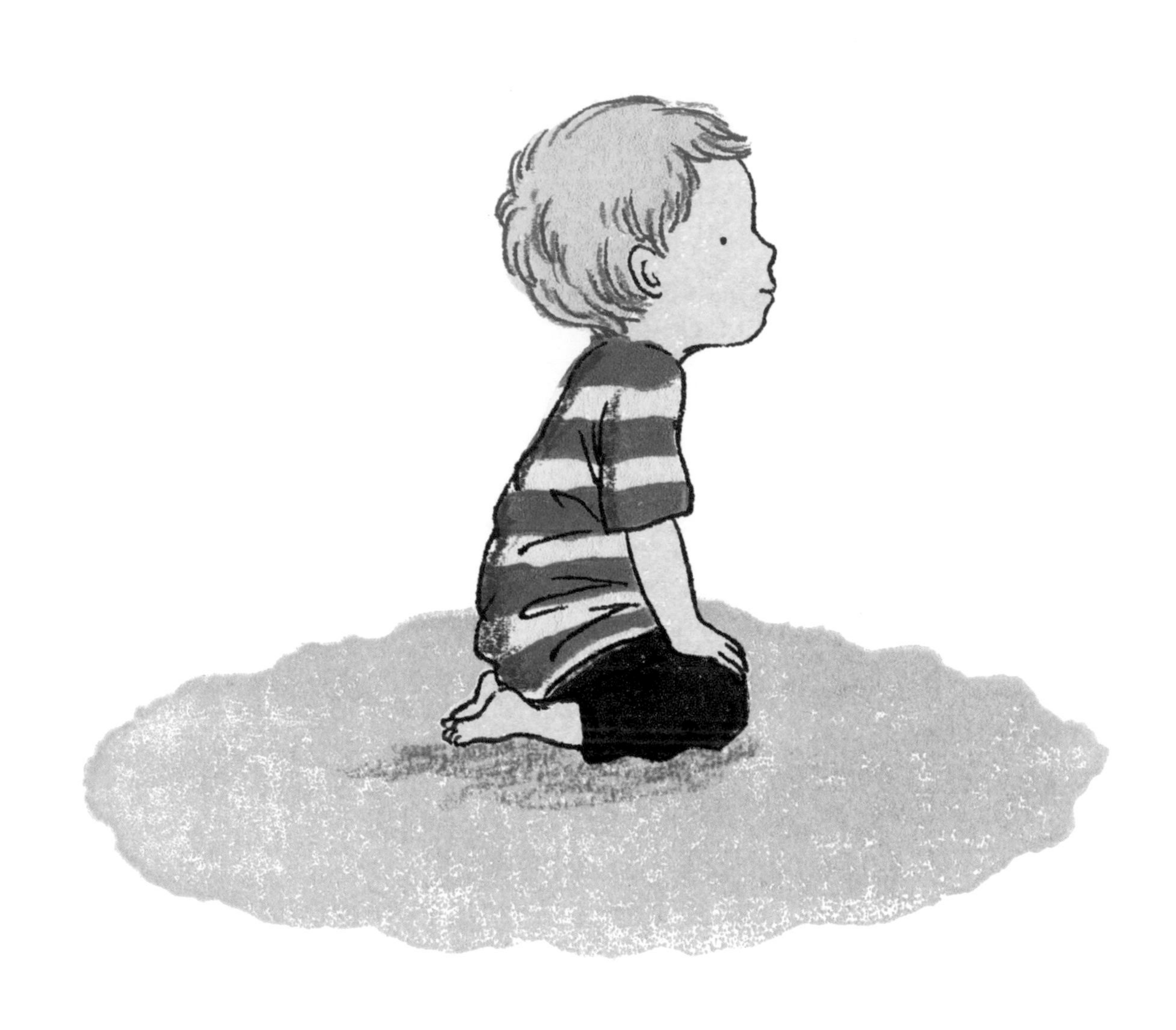

雙手放膝蓋上，
伸出舌頭！

現在你是……

一隻獅子，
叢林之王，
吼聲響徹雲霄，
整座森林轟隆隆。

坐下，

雙腳腳掌互貼。

抓緊腳趾，

雙腿上下擺動！

現在你是……

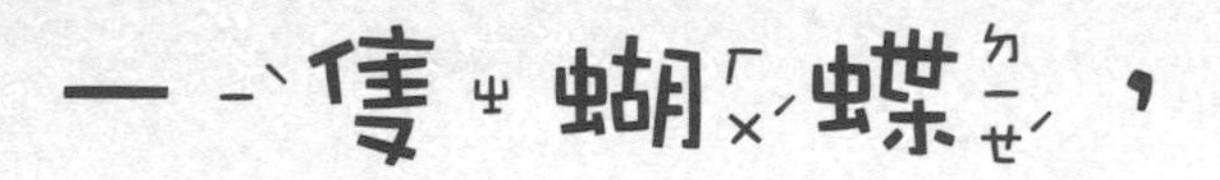

展開鮮豔的翅膀，

隨著陣陣微風

振翅飛翔。

站起來，

腳掌平貼在地上。

彎腰，兩手摸地板，

臀部抬高！

現在你是……

一隻小狗，

在太陽下盡情伸展，

對你的朋友汪汪叫著：

快來玩！

趴下，

肚子貼在地上。

雙手放在身體兩側，
兩手撐起上半身！

現在你是……

一條蛇，

在涼爽的草地

扭動滑行，

嘴巴發出「嘶——嘶——」

的聲音。

雙ㄕㄨㄤ腳ㄐㄧㄠˇ張ㄓㄤ開ㄎㄞ，蹲ㄉㄨㄣ下ㄒㄧㄚˋ，
兩ㄌㄧㄤˇ腳ㄐㄧㄠˇ站ㄓㄢˋ穩ㄨㄣˇ。

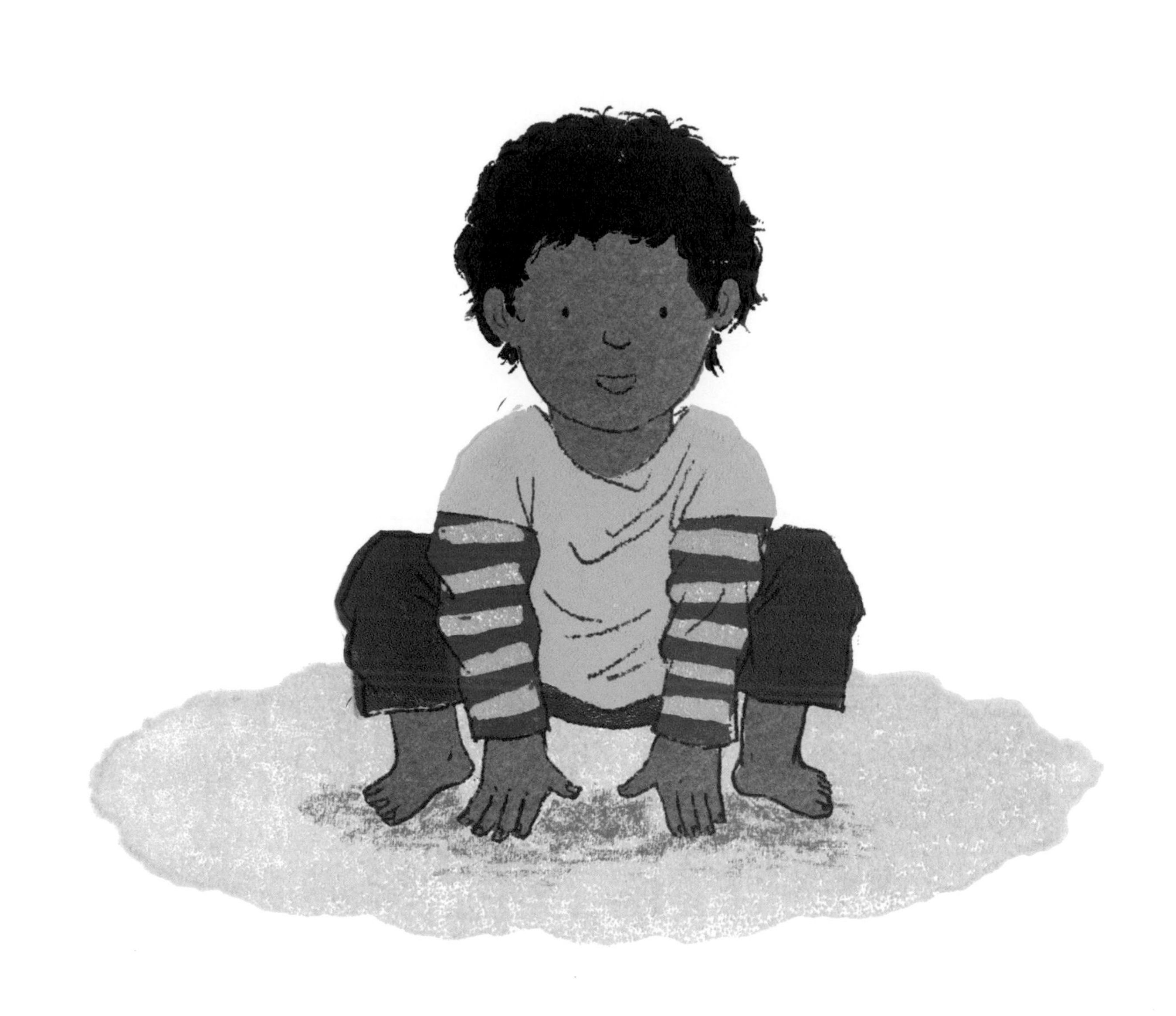

雙手平放在地上，

跳起來！

現在你是……

一隻青蛙，
張大嘴巴呱呱呱，
在池塘裡跳躍，
一整天都不累。

雙膝跪下，

兩手放在地上。

頭朝下，
拱背！

現在你是……

一隻小貓，
在夜裡蹦蹦跳跳，
對著月亮喵喵叫，
盡情玩耍直到天亮。

站穩，

雙腳微微分開。

雙手合掌，
兩手向上延伸！

現在你是……

一座高山，
把山頂推高再推高，
穩固又有力量，
直到碰到天空。

躺下來，靜止不動，
在花園裡慢慢的呼吸，
安安靜靜，放鬆你的身體，
向彼此說聲：
祝你有個美好的一天。